Texte : Jeanne Olivier

Illustration de la couverture :

Philippe Germain

Nouvelles Histoires drôles n° 7
Illustration de la couverture : Philippe Germain
Conception graphique de la couverture : Michel Têtu

Dépôts légaux : 2e trimestre 1999
Bibliothèque nationale du Québec
Bibliothèque nationale du Canada

ISBN : 2-7625-0843-6
Imprimé au Canada

Les éditions Héritage inc.
300, rue Arran
Saint-Lambert (Québec) J4R 1K5
Téléphone : (514) 875-0327
Télécopieur : (450) 672-5448
Courriel : info@editionsheritage.com

À tous ceux
qui aiment bien rigoler!

J. O.

Maurice emmène son ami dans sa cour. Il lui montre sa remise qui mesure 20 mètres sur 10 mètres.

— Qu'est-ce qu'il y a là-dedans ?

— Ma collection.

— Mais c'est immense ! Qu'est-ce que tu collectionnes au juste ?

— Les collections !

•

Toc ! Toc !

Qui est là !

Cheveu.

Cheveu qui ?

« Cheveu » un cornet de crème glacée !

•

— Je me suis mis au régime.

— Qu'est-ce que tu fais ?

— Je mets des couteaux dans ma soupe pour me couper l'appétit !

•

Dans un restaurant archiplein, un client fait des signes au serveur.

— Vous savez, ça fait quatre ans que je suis client ici.

— Monsieur, je suis désolé, je travaille pourtant aussi vite que je peux!

•

Trois gars font un concours. Celui qui réussit à rester le plus longtemps dans la porcherie gagne.

Le premier entre et ressort en courant au bout de 30 secondes.

Le deuxième prend son souffle et entre. Il ne réussit même pas à rester 15 secondes!

Le troisième entre à son tour. Quinze secondes passent, puis 20, puis 30, et tous les cochons sortent en courant!

•

Hé! Ce soir, il y a un super-film à la télé!

— Bof! Je n'aime pas regarder les

films à la télévision, il y a trop de réclames.

— Voyons donc ! La publicité, c'est la partie la plus importante !

— Comment ça ?

— C'est pendant le temps des réclames que je peux faire mes devoirs !

•

— Qui sont les gens qui partent le plus souvent ?

— Les mères.

— Comment ça ?

— Parce qu'on dit : « Maman » aller bientôt !

•

— Sais-tu pourquoi les hippopotames portent des pantoufles roses ?

— Non.

— Parce que les bleues sont au lavage !

•

— Mon pauvre monsieur, dit le mécanicien, votre batterie est à terre!

— Ben, ramassez-la!

•

Le prof: As-tu fait ton devoir, Youssef?

Youssef: Non.

Le prof: As-tu une bonne excuse au moins?

Youssef: Oui, c'est la faute de ma mère.

Le prof: Comment ça? Ta mère t'a empêché de faire tes devoirs?

Youssef: Non, mais elle ne m'a pas assez chicané pour que je les fasse!

•

C'est incroyable comme le temps passe vite quand on fait une bonne partie de Nintendo!

— Ouais, mais c'est incroyable comme le temps passe lentement quand c'est ton ami qui joue...

•

J'ai su que tu voulais te faire remonter le visage, mais que, vu le coût, tu as préféré tout laissé tomber.

•

Sur la clôture de Jessica, c'est écrit : « Attention ! Chien méchant ! »

— Où il est, ton chien ? lui demande son ami.

— Tiens, le voilà !

— Mais c'est juste un petit caniche ! C'est ça ton chien méchant ?

— Chut ! Il croit qu'il est un chien méchant !

•

— Chez nous, il y a un règlement que je déteste.

— Lequel ?

— Je n'ai pas le droit de regarder la télé tant que mes devoirs ne sont pas faits. Mais quand arrive le temps où j'ai terminé mes devoirs, toutes mes émissions préférées sont finies !

•

Qui est le meilleur lutteur au monde ?
Jean Plante.

•

Comment on fait les bleuets ?
On étouffe des petits pois !

•

Jérémie aperçoit son père dans son atelier, debout sur une boîte déposée sur une chaise.

— Voyons, papa ! C'est bien trop dangereux ce que tu fais là !

— Il faut absolument que je réussisse à attraper quelque chose sur la dernière tablette.

— Tu vas te faire mal ! Pourquoi tu ne prends pas l'escabeau ?

— C'est justement ce que j'essaie d'atteindre...

•

Un homme loue une chambre à l'hôtel. À minuit, il se fait réveiller par une voix qui dit :

— Je suis le fantôme à l'œil blanc !

L'homme a tellement peur qu'il se

jette par la fenêtre. Le lendemain, un homme loue cette chambre à l'hôtel. Lui aussi entend, à minuit :

— Je suis le fantôme à l'œil blanc !

Mort de peur, il se jette par la fenêtre ! Le jour suivant, un troisième homme se présente et se retrouve dans la chambre. À minuit, encore :

— Je suis le fantôme à l'œil blanc !

— Ah oui ? Eh bien, tais-toi sinon tu vas devenir le fantôme à l'œil noir !

•

Dans un magasin de chaussures :

— Police ! Vite ! Je viens juste de me faire voler !

— Calmez-vous ! Où est situé le magasin ?

— Sur la rue Principale.

— Pouvez-vous me donner une description du voleur ?

— Hum... je ne me souviens pas de son visage, mais je suis sûr qu'il avait des pieds pointure 41 !

•

Guillaume : Fido, assis ! Assis, j'ai dit ! Ah ! Reste donc debout, espèce d'imbécile !

Évelyne : Franchement, ton chien aurait vraiment besoin d'aller dans une école d'obéissance.

Guillaume : J'ai essayé de l'emmener, mais il refuse d'y aller !

•

— Regarde, j'ai trouvé un livre intéressant. Il parle des gens qui remettent toujours les choses à faire à plus tard. Tu devrais le lire !

— O.K., je te promets que je vais le lire... demain !

•

Je suis un nez qui perd connaissance.
Un « nez-vanouissement ».

•

Le père : Mange tes légumes !
Nicholas : Non !
Le père : J'ai dit mange tes légumes !

Nicholas : Non, bon !

Le père : Tu es mieux de manger tes légumes si tu veux devenir beau et fort !

Nicholas : Dans ce cas-là, papa, c'est toi qui devrais peut-être les manger !

•

— Mon médecin m'a dit de changer toute mon alimentation : finis la crème glacée, les croustilles, les gâteaux !

— Pauvre toi, qu'est-ce que tu vas faire ?

— Je vais changer de médecin !

•

En auto :

— Voudrais-tu me faire le plaisir de ralentir ? Tu roules à 140 !

— Je roule à la vitesse permise.

— Ah oui ? Où as-tu vu ça ?

— Sur le panneau, tantôt.

— Espèce de coco ! C'était le numéro de la route ! Heureusement qu'on n'a pas pris la 217 !

•

Comment s'appelle l'aumônier des pêcheurs ?

Le père Chaude.

•

Une dame se plaint à l'animalerie :

— Vous m'aviez dit que ce chat était très bon pour les souris ! Pourtant, chaque fois qu'il en aperçoit une, il se sauve.

— Justement, madame, c'est ça être très bon pour les souris !

•

Deux copains discutent :

— Mon médecin m'a fait passer une radio.

— Ah oui ! Et qu'est-ce que tu as chanté ?

•

Sébastien : Ma mère ne croit plus aux mathématiques.

Françoise : Comment ça ?

Sébastien : Elle ne comprend pas comment elle a pu engraisser de cinq kilos en mangeant une boîte de chocolats de un kilo.

•

DRRRRING !

— Oui allô, répond tout bas Normand.

— Est-ce que je pourrais parler à ta mère ou à ton père ?

— Non, ils sont occupés, dit-il, toujours tout bas.

— Y a-t-il quelqu'un d'autre dans la maison ?

— Oui, des policiers.

— Est-ce que je peux leur parler ?

— Non, ils sont occupés.

— Est-ce qu'il y a quelqu'un d'autre ?

— Il y a aussi des pompiers.

— Je peux leur parler ?

— Non, ils sont occupés.

— Mais voyons ! Qu'est-ce qu'ils sont tous en train de faire ?

— Ils me cherchent !!!

•

À quoi peut servir la peau de la vache ?

À tenir les morceaux de la vache ensemble !

•

Toc ! Toc !

Qui est là !

Yvon.

Yvon qui ?

« Yvon » finir par attraper la grippe !

•

Émilie : Vous dites que les fourmis sont des insectes qui sont toujours très occupés.

Le prof : Oui, c'est vrai.

Émilie : Alors, il y a quelque chose que je ne comprends pas. Si elles sont si occupées, pourquoi sont-elles toujours là quand on fait un pique-nique ?

•

— Connais-tu l'histoire de la cravate ?

— Non.

— Elle est longue et plate !

•

— Maman, est-ce que tu me donnerais une punition pour une chose que je n'ai pas faite ?

— Mais non, Line !

— Fiou ! Je n'ai pas fait le ménage de ma chambre !

•

— Sais-tu ce qui arrive à une roche blanche qu'on jette dans la mer Noire ?

— Non.

— Elle se mouille !

•

De retour de l'école :

— Papa, connais-tu la dernière ?

— Non.

— C'est moi.

•

Qu'est-ce qu'on obtient quand on croise un vampire et un oiseau bavard ?

Un vampire.

•

Deux chauves-souris, suspendues par les pattes, discutent :

— Alors, comment te sens-tu après ta journée de travail ?

— Ouf ! J'ai la tête à l'envers !

•

Qu'est-ce qui est noir et rouge et qui vole ?

Une mouche qui saigne du nez !

•

Monsieur Cloutier raconte à son voisin :

— En fin de semaine, je suis allé à la chasse avec mon frère qui est policier.

— Avez-vous attrapé du gibier ?

— Non, rien ! À chaque fois qu'on voyait apparaître un chevreuil, mon frère sortait de sa cachette et tirait dans les airs en criant : « Police ! Haut les mains ! »

•

Toc ! Toc !
Qui est là ?
O.B.
O.B. qui ?
O.B.lix !

•

Quel animal adore les jeunes filles ?
Le croc-Odile.

•

Martin, qui ne sait pas encore lire, vient de recevoir une lettre de son cousin.

— Maman, est-ce que tu voudrais me lire ma lettre ?

— Avec plaisir, Martin.

— Mais est-ce que ça te dérangerait de te boucher les oreilles ? C'est une lettre confidentielle.

•

Le prof : Antoine, si j'ai trois sandwichs dans mon sac à lunch et que je t'en donne trois, qu'est-ce qui me reste ?

Antoine : Des miettes de pain !

•

Qu'est-ce qui a deux bosses et qu'on retrouve au Pôle Nord ?

Un chameau égaré.

•

— As-tu passé de belles vacances à la mer, Céleste ?

— Oui, il a plu seulement trois jours.

— Et le reste du temps ?

— Quel reste ? Je suis juste partie trois jours !

•

Qu'est-ce qu'un 10 dit à un 9 ?

Que fais-tu si loin de ton poulailler ?

•

Rémi : Maman, es-tu capable d'écrire dans la noirceur ?

La mère : Je pense bien, oui.

Rémi : Alors voudrais-tu fermer la lumière et signer mon bulletin ?

•

Comment appelle-t-on quelqu'un qui sauve des vies la nuit au Mexique ?

Un sombre héros (sombrero).

•

Madame Lambert : Sais-tu comment je vais appeler mon fils ?

Madame Vallée : Non.

Madame Lambert : Je vais l'appeler PC.

Madame Vallée : Pourquoi ? C'est un nom plutôt ridicule.

Madame Lambert : Ah oui ? Mon voisin a bien appelé son enfant RV (Hervé) !

•

Comment l'abominable homme des neiges fait-il pour entrer dans une maison ?

Il tourne la poignée, voyons !

•

Toc ! Toc !

Qui est là ?

Le nouveau.

Le nouveau qui ?

Le Nouveau-Brunswick !

•

— Fanny, sais-tu comment faire pour aller à la chasse aux lapins ?

— Non.

— Tu te caches derrière un arbre et tu imites le cri de la carotte !

•

Karim : Un coq brun pond des œufs de quelle couleur ?

Danny : Brun ?

Karim : Ah ! Ah ! Un coq, ça ne pond pas d'œufs !

•

Pierre : Quelle est la différence entre un livre et toi ?

Alain : Je ne sais pas.

Pierre : Le livre a des dessins et toi tu es sans dessein !

•

Quel est l'âge le plus dur ?

L'âge de pierre.

•

Patricia aperçoit son amie Valérie qui ferme les mains sans arrêt devant son visage.

— Mais qu'est-ce que tu fais là ?

— J'essaie d'attraper des « smoufs ».

— Des quoi ?

— Des « smoufs ».

— C'est quoi, des « smoufs » ?

— Je ne sais pas, je n'en ai pas encore attrapés !

•

Alexandra téléphone à l'épicerie :

— Bonjour, avez-vous des biscuits secs ?

— Oui.

— Vous ne pensez pas qu'il serait temps de les arroser ?

•

C'est quoi un squelette dans une garde-robe ?

C'est quelqu'un qui a gagné à la cachette !

•

Qu'est-ce qui vole mais n'a pas d'ailes ?

Un bandit.

•

Madame Morin : Je suis bien découragée. Tout ce que mon perroquet sait dire c'est : « Bonjour », « Comment ça va ? », « S'il vous plaît » et « Merci ».

Madame Lanthier : Vous êtes bien chanceuse. Moi, mon garçon n'est même pas capable de dire tout ça !

•

Trois personnes vont pêcher sur le bord d'un lac. La première s'appelle Stupide, la deuxième s'appelle Rien et la dernière se nomme Personne.

Soudain, Personne tombe à l'eau.

Rien demande à Stupide d'aller chercher du secours. Stupide appelle la police et dit :

— Bonjour, je suis Stupide. J'appelle pour Rien, Personne est tombé à l'eau.

•

Le prof : Si je dis « La police a arrêté le voleur », où est le complément ?

André : En prison ?

•

Quelle est la première chose que fait une personne qui tombe à l'eau ?

Elle se mouille.

•

— J'ai une devinette pour toi. Qu'est-ce qui est transparent et qui sent la banane ?

— Je ne sais pas.

— Un pet de singe.

•

Il y avait au pays des nigauds un jeu télévisé où les participants devaient répondre à des questions. L'animateur demande au premier concurrent :

— Combien font deux plus trois ?

Après une demi-heure de réflexion, le concurrent répond :

— Cinq.

Alors toute la foule s'écrie :

— Donnez-lui le prix quand même !

•

Qu'est-ce qui est vert et qui fait bong ! bong ! bong ! ?

Un chou à ressort.

•

Une petite souris arrive en courant au bord de l'eau où se baigne un éléphant.

— Sors de là tout de suite ! hurle-t-elle, en colère.

L'éléphant sort de l'eau timidement, en se demandant ce qui se passe avec la souris !

— O.K. ça va, ce n'est pas toi qui m'as volé mon costume de bain.

•

C'est bientôt la fête de la mère de Philippe et Nadine.

Nadine : Maman, demande Nadine, qu'est-ce que tu aimerais avoir pour ta fête ?

La mère : Deux beaux enfants bien sages !

Nadine : Youpi ! Philippe, nous allons bientôt être quatre dans la famille !

•

Quel est le numéro de téléphone des poules ?

444-1919

•

— Deux oiseaux sont sur un fil. Un des deux décide de partir. Combien en reste-t-il ?

— Facile ! Un.

— Non, deux, parce que l'oiseau a juste décidé de partir.

•

Chez le fleuriste :

— Bonjour, je voudrais avoir trois violettes africaines.

— Je suis désolé, madame, il ne m'en reste plus du tout. Je peux vous offrir des plantes araignées, peut-être ?

— Non, ça ne marcherait pas...

— Qu'est-ce qui ne marcherait pas ?

— Ben, mon voisin rentre demain, et ce sont ses violettes africaines que je lui avais promis d'arroser !

•

Qu'est-ce qui a quatre pattes, un pied et une tête ?

Un lit.

•

Le prof : Catherine, pourquoi les oiseaux s'envolent vers le sud à l'automne ?

Catherine : Parce que c'est trop loin à pied !

•

« Qu'est-ce qui monte, descend et tourne en rond toute la journée ?

Les aiguilles de l'horloge.

•

Le prof : Bastien, pourquoi as-tu de la ouate dans les oreilles ?

Bastien : L'autre jour, vous m'avez dit que tout ce que vous disiez m'entrait par une oreille et sortait par l'autre. Ce matin, j'essaie d'empêcher ça.

•

Quelle est la différence entre cette blague et une feuille de papier ?

Aucune, les deux sont plates !

•

Jean-Philippe a un copain, Srdjan, qui a un peu de difficulté en français.

— Regarde, Jean-Philippe, dit Srdjan, il y a un mouche sur le mur.

— Ce n'est pas UN mouche, Srdjan, c'est UNE mouche.

— Wow ! Tu as des bons yeux !

•

Je suis un nez gros et gris.

Un nez-léphant.

•

— Mon voisin a retourné ses macaronis au magasin.

— Pourquoi ?

— Parce qu'ils étaient vides.

•

Sébastien appelle son copain Germain qui a la varicelle.

— Salut, ça va ?

— Ça va beaucoup mieux, je crois que je suis en train de guérir.

— Ah oui ! Comment tu sais ça ?

— Ce matin, je me suis regardé dans le miroir et on dirait que je déboutonne !

•

Quel est le comble pour un électricien ?

Téléphoner à son ami pour le mettre au courant.

•

Félix : Papa, l'autre jour tu as dit : Le monde devient de plus en plus petit.

Le père : Oui, c'est vrai.

Félix : Alors pourquoi les timbres coûtent-ils de plus en plus cher ?

•

Deux fantômes discutent :

— Est-ce que tu crois aux humains ?

•

— Mon Dieu, tu as bien l'air déprimé, Yves !

— Je suis assez tanné de ce qui se passe !

— Qu'est-ce qu'il y a ?

— Tout le monde me traite de menteur.

— Je ne te crois pas !

•

Le dentiste : Monsieur, voulez-vous une anesthésie locale ?

Le patient : Qu'est-ce que ça veut dire ?

Le dentiste : C'est un peu comme si j'endormais vos dents.

Le patient : Ah ! D'accord ! Pourvu qu'elles se réveillent pour dîner !

•

— Bonjour, je suis la gardienne.

— Bon, si Justin fait trop de bruit, s'il ne fait pas ses devoirs, s'il est désobéissant ou s'il te dérange, tu peux le punir en l'empêchant de regarder la télé et en l'envoyant se coucher plus tôt.

— Oui, mais s'il est tranquille et se comporte bien, qu'est-ce que je fais ?

— Oh la la ! Alors tu es mieux de prendre sa température !

•

Deux fraises sont dans un pot de confitures. L'une dit à l'autre :

— Tasse-toi un peu, moi aussi je voudrais être près de la fenêtre !

•

— Mon père n'arrête pas de me dire que pour trouver un emploi, il faut avoir de l'expérience.

— Ah oui ? Tu diras à ton père qu'il n'y a pas que l'expérience qui compte. Sinon, on n'aurait jamais marché sur la Lune !

•

Qu'est-ce qui est bleu et qui fait bizzzz ?

Une abeille qui a foncé dans un bleuet.

•

Dans le métro, un homme lit son journal. Chaque fois qu'il finit une page, il la déchire, en fait une petite boulette et la jette par terre.

— Pourquoi faites-vous ça ? lui demande Maude.

— C'est pour éloigner les crocodiles.

— Mais il n'y a pas de crocodiles ici !

— Ça prouve que c'est efficace, hein ?

•

Le prof : Aurèle, es-tu le plus jeune de ta famille ?

Aurèle : Non, mon chien est plus jeune que moi.

•

Luc : Où sont Pierre et Jaco ?

Jean : Je crois qu'ils sont partis jouer au tennis.

Luc : Encore ! Ils sont tellement compétitifs ! On dirait qu'ils ne sont pas capables de jouer juste pour le plaisir.

Jean : C'est vrai !

Luc : Moi, la compétition, ça ne m'intéresse vraiment pas !

Jean : Moi non plus !

Luc : Ah oui ? Je suis prêt à parier que je suis bien moins compétitif que toi !

•

Qu'est-ce que se disent deux clowns qui s'apprêtent à manger ?

Bouffons !

•

Le prof : Ce soir, il y aura une éclipse de Lune. Je vous suggère fortement de regarder ça.

Violaine : C'est à quel poste ?

•

Qu'est-ce qui est gros et mauve, qui a trois bouches et qui bouffe des olives ?

Un gros bouffe-olives mauve à trois bouches.

•

— Qu'est-ce qu'on obtient quand on croise un manteau de fourrure avec un ver de terre ?

— Je ne sais pas.

— Une chenille !

•

Comment s'appelle le chanteur préféré des amoureux ?

Gilbert Bécaud (bécot) !

•

— Qu'est-ce qui est poilu et qui tousse ?

— Je ne sais pas.

— Une noix de coco grippée !

•

Marilyne : Papa, est-ce que les chenilles sont bonnes à manger ?

Le père : Non, pourquoi me demandes-tu ça ?

Marilyne : Parce que tu viens d'en manger une dans ta salade !

•

Deux crayons discutent :

— Toi, tu n'as pas bonne mine !

•

Flore : Je pense que je vais avoir 100% dans l'examen de français qu'on a fait ce matin.

Lisa : Toi ? Tu n'avais même pas étudié !

Flore : Ouais, mais j'ai copié sur Toto Labretelle.

Lisa : T'es folle ! C'est le pire élève de la classe !

Flore : Peut-être, mais Toto a tout copié sur Jasmine la « bollée » ! Et elle, elle a toujours 100% !

•

Un petit chien va à l'école pour la première fois. En rentrant à la maison, sa mère lui demande s'il a aimé le cours de mathématiques.

— Wouf ! Wouf ! répond-il.

Elle lui demande si son cours de français s'est bien passé.

— Wouf ! Wouf ! répond-il.

Puis elle lui demande comment était son cours de langue seconde.

— Miaou ! Miaou ! répond-il.

•

Qu'est-ce qui est vert, qui tourne à toute vitesse et qui n'est pas très beau à voir ?

Une grenouille dans un malaxeur.

•

Toc ! Toc !

Qui est là ?

K. Ré

K. Ré qui ?

« K. Ré » aux dattes !

•

— Son frère l'aide dans son travail. Sais-tu comment il s'appelle ?

— Non, comment ?

— Itien Lso !

•

Comment s'appelle l'aumônier des joueurs de hockey ?

L'abbé Vitrée.

•

La mère : Ouf ! Je suis complètement gelée !

Le père : Tu trouves qu'il fait froid ?

La mère : Oui, je suis certaine qu'il y a une fenêtre ou une porte ouverte quelque part ! Ah ! Ah ! Je le savais ! Qu'est-ce que tu fais dans le frigo, Philippe ?

•

— Je m'en vais visiter ma grand-mère à Vancouver, mais je ne sais pas comment y aller.

— Prends l'avion !

— Tu es fou ! J'ai bien trop peur de l'avion !

— Prends le train, alors !

— Le train, c'est aussi dangereux !

— Voyons donc ! Qu'est-ce qui est si dangereux en train ?

— Un avion pourrait s'écraser et tomber dessus !

•

Charlie : Je trouve ton chien assez beau ! Est-ce que tu l'as bien dressé ?

Sarah : C'est plutôt lui qui m'a dressée ! Chaque fois qu'il fait le beau ou qu'il me donne la patte, je cours tout de suite dans la cuisine pour lui donner un bel os !

•

David : Ma sœur est très dépensière. Sais-tu quelles sont ses quatre lettres préférées ?

Thomas : Non.
David : L.M.H.T.

•

— Veux-tu que je te raconte l'histoire du fantôme ?

— Oui.

— Trop tard, il vient de te passer au travers !

•

Deux frères, Pick et Sam, demandent à leur mère la permission d'aller jouer dehors.

— D'accord, répond-elle, mais revenez à temps pour le souper !

Le temps passe et les enfants ne reviennent pas. La mère, impatientée, sort sur le balcon et crie :

— Sam ! Pick ! Sam ! Pick !

Au même moment, un homme se promène sur le trottoir. Un peu surpris, il dit :

— Chère madame, si ça vous pique, grattez-vous donc !

•

Quel est le comble du sans-gêne ?

Engueuler la personne sur qui on a copié parce qu'elle n'a pas assez étudié !

•

Monsieur Simard entre dans l'autobus :

— C'est combien l'autobus ?

— 1,25$.

— C'est beau, je l'achète. Tout le monde dehors !

•

Comment appelle-t-on un malade qui fait toujours tout tomber ?

Un maladroit.

•

Olivier vient chercher son cousin Maxime à la gare.

— Comment s'est passé ton voyage ?

— Pas très bien. Comme j'étais dos au conducteur, j'ai eu mal au cœur pendant tout le trajet !

— Pourquoi tu n'as pas demandé à la personne en face de toi de changer de place avec toi ?

— J'aurais bien voulu, mais il n'y avait personne en face de moi !

•

— Sais-tu pourquoi les chiens jappent ?

— Non, pourquoi ?

Parce qu'ils n'ont rien à dire !

•

Qu'est-ce qu'une girafe ?

Un animal si grand, que lorsqu'il se mouille les pieds, ça lui prend un mois avant d'éternuer.

•

Comment appelle-t-on un nez qui aime les crayons ?

Un nez-guisoir.

•

Deux squelettes discutent :

— Moi, je déteste l'hiver.

— Pourquoi ?

— Parce que le froid me glace les os !

•

— Qu'est-ce qui est jaune et court très vite ?

— Je ne sais pas.

— Un citron pressé.

•

Deux poissons se rencontrent :

— Est-ce qu'on va prendre un ver ?

•

Que faut-il faire avant de descendre de l'autobus ?

Il faut y monter.

•

À l'aéroport, une très grande vedette est accueillie par des milliers de personnes. Elle demande aux policiers qui repoussent la foule :

— Pourquoi faites-vous ça ?

— C'est pour des raisons de sécurité.

— Sécurité ? Je ne voulais pas leur faire mal !

•

— Madame Savoie, est-ce que Benoit peut venir jouer au baseball avec nous ?

— Non, il est en punition dans sa chambre.

— Alors, est-ce que le bâton de baseball de Benoit peut venir jouer au baseball avec nous ?

•

Pourquoi les livres ont-ils toujours chaud ?

À cause de leur couverture !

•

— Sur ma rue, il y a des travaux qui sont en train de me rendre fou !

— Comment ça ?

— Ça commence tôt le matin, les camions à béton, les marteaux-pilons, le dynamitage ! Je n'en peux plus !

— Pauvre toi !

— Je suis allé leur demander hier ce qu'ils étaient en train de construire.

— Qu'est-ce qu'ils ont dit ?

— Un centre de recherche sur la pollution par le bruit !

•

Deux pêcheurs sont sur le bord du lac :

— Moi je pêche à la mouche. Je trouve que c'est la meilleure méthode. Et toi ?

— Moi je pêche aux allumettes.

— Hein ? Qu'est-ce que tu réussis à attraper avec ça ?

— Du saumon fumé !

•

Isabelle : Sais-tu ce qui est le plus dur quand on apprend à patiner ?

Nathalie : Non.

Isabelle : La glace !

•

Que trouve-t-on au début de chaque film ?

Un F.

•

Au coin de la rue, une dame dit au brigadier :

— Est-ce que vous attendez un enfant ?

— Non, j'ai toujours été gros comme ça...

•

Que disent deux bateaux qui se rencontrent ?

À l'eau !

•

— J'arrive de chez le dentiste. J'avais une dent à faire plomber.

— Tu dois te sentir bien maintenant !

— Je comprends ! Le dentiste n'était pas à son bureau !

•

— Maman ! Dis à Alexandre qu'il me laisse tranquille ! Il n'arrête pas de m'agacer et de me dire des insultes !

— Qu'est-ce qu'il te dit ?

— Il me dit que je suis cafardeuse !

•

Deux poissons entrent en collision :

— Excuse-moi, j'avais de l'eau dans les yeux !

•

Une très grosse dame va visiter son médecin :

— Docteur, je voudrais bien perdre du poids.

— D'accord. Vous allez d'abord me dire quelles sont vos habitudes alimentaires.

— Oh ! Je ne mange pas beaucoup, je ne bois jamais d'alcool et je fais de l'exercice tous les jours.

— Avez-vous autre chose à ajouter ?

— Oui, je suis très menteuse.

•

Annie : Je ne comprends pas ! Comment ça se fait que tes notes d'examen sont parfois très hautes et d'autres fois si basses !

Caroline : Ce n'est pas si dur à comprendre. Tout est une question d'étude !

Annie : Comment ça ?

Caroline : Si la personne sur qui je copie a bien étudié, j'aurai de bonnes notes !

•

— Il y a vraiment un drôle de bruit dans mon moteur.

— Et vous y avez vu ?

— Oui, je suis d'abord allé au garage l'autre côté de la rue.

— Ah oui ? Et quel mauvais conseil cet imbécile vous a-t-il donné ?

— Venir vous voir !

•

— Connais-tu la différence entre un prof et un biscuit ?

— Non.

— On ne peut pas tremper un prof dans un verre de lait !

•

Le père : Juan, tu as acheté des allumettes ?

Juan : Oui.

Le père : Tu es sûr qu'elles sont bonnes ?

Juan : Oui, papa, je les ai toutes essayées.

•

Un homme, l'air affolé, entre chez lui en courant et dit à sa femme :

— Chérie ! C'est épouvantable, chaque fois que je dis « abracadabra », tout le monde disparaît ! Chérie ! Chérie ! Où es-tu passée ?...

•

Pourquoi les cannibales ne mangent pas de clowns ?

Parce que ça goûte drôle !

•

— Sais-tu ce qui va de ville en ville sans jamais bouger ?

— Non.

— La route !

•

Lucie : Qu'est-ce que tu as eu à ta fête ?

Diane : Une chandelle de plus sur mon gâteau !

•

Joseph : Je rêve de gagner 5000$ par semaine, comme mon père.

Francis : Wow ! Ton père gagne 5000$ par semaine ?

Joseph : Non, il en rêve lui aussi.

•

— Capitaine, nous avons perdu la bataille.

— Eh bien, qu'est-ce que vous attendez ? Retrouvez-la !

•

Danielle et Jean-François courent à toute vitesse sur le trottoir :

— Ah non ! On va encore être en retard à l'école !

— On serait mieux de se trouver une bonne excuse !

— Je le sais ! On pourrait dire qu'en sortant de la maison, on a vu un vaisseau spatial atterrir, que des êtres en sont sortis et qu'ils nous ont emmenés avec eux faire un tour dans une autre galaxie !

— Hé ! Le prof ne croira jamais ça !

— Tu trouves que c'est trop exagéré ?

— Non, c'est ça que j'ai dit la dernière fois que j'ai été en retard !

•

Combien de paires de souliers le pape a-t-il ?

Saint Père (cinq paires).

•

Quelle est la lettre de l'alphabet qui permet de respirer ?

R.

•

Chez le médecin :

— Docteur, j'ai avalé quatre pièces de un dollar !

— Quand ?

— La semaine passée.

— Pourquoi avez-vous attendu si longtemps avant de venir me voir ?

— Parce que j'en ai pas eu besoin avant aujourd'hui !

•

— Pourquoi tu vas à l'école avec un masque de plongée et un tuba ?

— Parce que j'ai peur de couler !

•

Qu'est-ce qui fait ding ding et qui est bleu ?

— Je ne sais pas.

— Un ding ding bleu.

•

— Qu'est-ce qui fait ding ding et qui est rouge ?

— Je le sais ! Un ding ding rouge !

— Non, ils n'en font pas de cette sorte-là !

•

Un nigaud vient d'acheter un paquet d'allumettes. Il en gratte une, mais elle ne s'allume pas. Il en gratte une autre, et une autre, mais même résultat. Heureusement, la quatrième s'allume.

— Bon ! celle-là je peux la garder ! dit-il, en la remettant dans la boîte.

•

Deux nigauds sont partis un matin dans la forêt et ne sont jamais revenus. Ils cherchaient un sapin avec des boules.

•

Quel est le fruit qui ne se trompe jamais ?

Le citron, parce qu'il est sur !

•

— Sais-tu quelle est la différence entre un avion et une cigarette ?

— Non.

— Un avion ça fait monter, et une cigarette ça fait des cendres.

•

— Sais-tu quel est le comble pour une personne dans la lune ?

— Non.

— C'est d'appeler dans un dépanneur 24 heures pour demander les heures d'ouverture !

•

Qu'est-ce qui porte des lunettes mais ne peut pas voir ?

Un nez !

•

Le prof : Les élèves, je ramasse les devoirs.

Albert (tout bas) : Merci, Gabriel, de m'avoir laissé copier ton devoir. Un autre devoir manqué et le prof me coulait !

Gabriel : Ouais, je n'aime pas bien ça. J'espère au moins que tu n'as pas tout copié mot à mot.

Albert : Tu peux être sûr que oui ! J'ai tout copié à la perfection ! Et quand je dis tout, c'est tout !

Le prof : Albert, comment ça se fait que je n'ai pas ton devoir mais que j'en ai deux au nom de Gabriel Bujold ?

•

La mère : Bon ! Alex a le nez qui coule lui aussi ! Sophie, on dirait que tu as donné ton rhume à ton frère.

Sophie : Je ne pense pas, je l'ai encore !

•

L'explorateur : Quelle est votre viande préférée ?

Le cannibale : Les gens bons !

•

— Fais-moi une phrase avec poulet et poussin.

— Euh...

— « Poulet » tu avoir « poussin » cents de bonbons ?

•

— À qui appartient le gros pit-bull dehors ? demande le petit Tom.

— C'est à moi, répond un gros costaud. Est-ce qu'il y a un problème ?

— Euh... c'est-à-dire qu'il est mort.

— Qui a fait ça ? hurle le costaud.

— C'est mon chihuahua.

— C'est impossible, mon pit-bull est le plus fort !

— Bien, voyez-vous, en essayant de manger mon chihuahua, votre chien s'est étouffé !

•

Un homme entre dans un dépanneur. Il demande à un gars au comptoir : « C'est toi, Roger ? »

— Oui !

Et voilà l'homme qui se met à tapocher Roger. Bing ! Bang ! Roger se retrouve à terre et l'homme s'en va en bougonnant.

Le pauvre gars par terre n'arrête pas de rire comme un vrai fou !

— Mais qu'est-ce que t'as à rire ? lui demande le caissier.

— Hi ! Hi ! Hi ! C'est même pas moi, Roger !

•

Le prof : Aujourd'hui, on étudie les soustractions. Antoine, si je coupe une pêche en quatre, que j'en mange deux morceaux et que je te donne les deux autres, que reste-t-il ?

Antoine : Le noyau !

•

La mère : Qu'est-ce que tu fais à quatre pattes en dessous de ton lit ?

Marina : J'ai perdu quelque chose.

La mère : Bon, encore ! Qu'est-ce que tu cherches cette fois-ci ?

Marina : Tu sais, mon papier à lettre ?

La mère : Mais je t'ai donné une boîte spéciale pour le ranger ! Alors tu as perdu ton papier !

Marina : Non, mon papier, je sais très bien où il est. Il est dans la boîte. C'est juste la boîte que je n'arrive pas à trouver !

•

Irène : Papa, j'ai presque eu 100 dans mon bulletin !

Le père : Bravo Irène !

Irène : Oui, il manquait juste le 1 devant les deux zéros.

•

Le médecin : Alors, vous dites que vous avez des problèmes avec votre mémoire ?

Le patient : Moi ? Je ne me souviens pas vous avoir dit ça !

•

Monsieur Lavoie est en vacances aux États-Unis, mais il ne parle pas anglais. Au restaurant, la seule chose qu'il peut dire, c'est « beans ». Il commence à en avoir assez ! Il rencontre un touriste qui lui apprend à commander du jambon et des œufs en disant « ham and eggs ». Le lendemain, tout content, monsieur Lavoie entre au restaurant. La serveuse lui demande ce qu'il veut et il répond :

— Ham... ham... voyons ? Ah ! « hamène-moi » donc des beans !

•

La prof : Denis, de qui descend l'homme ?

Denis : Du singe.

La prof : Très bien. Et le singe, il descend de quoi ?

Denis : Ben... de l'arbre.

•

Roberto s'en va au dépanneur :

— Avez-vous de la crème glacée aux cornichons ?

— Non.

Roberto revient plusieurs jours de suite, mais toujours sans succès. Le propriétaire est bien désolé de ne pouvoir satisfaire son client. Il décide d'en commander, même si c'est très rare et très cher, car ça vient de l'Asie.

Roberto vient faire son tour au dépanneur :

— Avez-vous de la crème glacée aux cornichons ?

— Oui, j'en ai fait venir !

— C'est pas tellement bon, hein !

•

Quel animal zozote après avoir pris une gorgée d'eau ?

Le zébu.

•

Drrring !

— Allô !

— Je voudrais parler à Claudine, s'il vous plaît.

— Il n'y a pas de Claudine, ici. Je crois que vous vous êtes trompé. Êtes-vous sûr d'avoir composé le bon numéro ?

— Absolument certain. Et vous, êtes-vous sûr que vous êtes dans la bonne maison ?

•

Dans le bureau d'un avocat :

Le client : Bonjour, maître. Combien ça coûte par question ?

L'avocat : C'est cent dollars. Quelle est votre deuxième question ?

•

La prof : Annick, combien font 4 plus 3 ?

Annick : Euh... 43 ?

•

Claudine : C'est l'histoire d'une tortue qui descend une montagne.

Annie : Oui, et après ?

Claudine : Laisse-lui le temps de descendre !

•

Deux nigauds sont en prison. Un des deux dessine sur le mur de la cellule.

— Tu es fou ! lui dit son compagnon. Arrête ça tout de suite. S'ils te voient faire, on pourrait se faire renvoyer !

•

Deux voisins discutent :

— Je suis déménagé à côté de chez vous il y a un mois.

— Oui, je sais, avec six chiens.

— C'est ça, et neuf chats.

— Et avec une grosse moto qui fait du bruit.

— Puis avec ma femme et mon garçon.

— Qui joue de la batterie toute la journée.

— C'est exactement ça ! Maintenant, ce que je voudrais savoir, c'est pourquoi personne n'est venu nous souhaiter la bienvenue ?

•

Quel est le gâteau préféré des bûcherons ?

La bûche.

•

À la bibliothèque, Thomas regarde un livre intitulé « Comment entrer au cinéma sans payer ». La bibliothécaire lui dit :

— Le volume II vient juste de sortir, on l'attend pour bientôt.

— Quel est le titre ?

— « Mes deux ans de prison ».

•

Chez le coiffeur :

— Comment veux-tu que je te coupe les cheveux, Laurent ?

— Comme mon père, avec un trou sur le dessus.

•

Tammie : J'ai déjà été incapable de marcher pendant toute une année !

Andrée : Comment ça ? Tu as eu un accident ?

Tammie : Non, j'étais trop jeune.

•

— Madame Savard, est-ce que Natacha peut venir jouer dehors ?

— Il n'en est pas question. Elle est en punition.

— C'est plate. Qu'est-ce que je vais faire toute seule ?

— Je suis désolée, mais Natacha a vraiment été très tannante aujourd'hui, elle n'a pas arrêté d'agacer sa sœur, et en plus elle a été très impolie avec la voisine.

— Oui, je suis bien d'accord, c'est effrayant tout ce qu'elle a fait. Mais pourquoi vous me punissez, MOI ?

•

Marie-Ève rencontre son amie Éloïse :

— As-tu vu mes nouveaux souliers invisibles ?

— Euh...

•

Madame Gauthier sort ses ordures ménagères, mais le camion des éboueurs vient juste de passer.

— Monsieur ! Monsieur ! crie-t-elle, avez-vous encore de la place ?

— Mais oui, madame, embarquez !

•

— Papa, quand vous serez en voyage, qu'est-ce que vous allez me rapporter en cadeau ?

— Rapporter ! Rapporter ! Tu penses juste à recevoir ! Une bonne fois, tu pourrais peut-être penser à donner !

— O.K. papa, quand vous reviendrez de voyage, qu'est-ce que vous allez me DONNER ?

•

— Peux-tu me faire une phrase avec « hippopotame » ?

— Euh...

— Mon frère s'en va voir le baseball mais « hippopotamener » !

•

De quelle couleur est mon parapluie quand il pleut ?

Il est tout vert (il est ouvert) !

•

— Connais-tu l'histoire du petit gars dans la chambre de bain ?

— Non.

— Moi non plus, la porte était fermée !

•

Comment voyagent les abeilles pour aller à l'école ?

En autobizzzzz !

•

Monsieur Robert demande à son voisin qui arrive de la pêche :

— Qu'est-ce que tu as attrapé ?

— Ah... une bonne grippe !

•

Devant la boutique du fleuriste, on peut lire : « Dites-le avec des fleurs ».

Monsieur L'Écuyer entre et dit :

— Je voudrais une rose, s'il vous plaît.

— Juste une ?

— Oui, je ne suis pas bavard.

•

99 personnes se promènent sur l'eau. Le bateau renverse. Combien reste-t-il de passagers sur le bateau ?

66.

•

Arthur : À partir de maintenant, c'est fini ! J'ai pris ma résolution : je ne vais plus au casino, et je ne fais plus de paris.

Léon : C'est une très bonne idée. Mais j'ai peur que tu ne sois pas capable !

Arthur : Tu penses ça ? Combien tu gages ?

•

— Sébastien, as-tu vu mon nouveau four micro-ondes ?

— Oui.

— Comment tu le trouves ?

— Pas tellement bon, ça fait une demi-heure que je cherche un poste, mais c'est toujours la même musique : Bip ! Bip ! Bip !

•

Que font les oiseaux quand il pleut ?
Ils se font mouiller.

•

Superman rencontre son ami, l'homme invisible, et lui dit :

— Salut ! Je suis content de ne pas te voir !

•

Que dit le zéro au huit ?

Tiens, tu as mis une ceinture aujourd'hui !

•

— Sais-tu ce que ça fait un chat ?
— Oui, ça miaule.
— Un mouton ?
— Oui, ça bêle.
— Et une fourmi ?
— Une fourmi ? Non !
— Ça « crohonde ».
— Comment ça ?
— Eh oui, la « fourmi crohonde » !

•

Sais-tu ce que ça fait un bleuet qui a le mal de mer ?

— Non.

— Ça fait un petit pois vert.

•

— Pourquoi as-tu regardé par-dessus le banc de neige ?

— Parce que je ne pouvais pas regarder au travers !

•

Il est tellement dégoûtant que lorsqu'il visite un zoo, les singes lui lancent des arachides.

•

Qu'est-il arrivé à cette horrible peinture à l' huile ?

— On l'a pendue.

•

Qu'a dit cet homme lorsqu'il a aperçu quatre loups qui portaient des lunettes de soleil et qui se dirigeaient vers lui ?

— Rien. Il ne les a pas reconnus.

•

J'ai six jambes, quatre bras et je fais « crunch, crunch ». Qui suis-je ?

— Un monstre qui mange des croustilles.

•

Richard : Mon père est un grand collectionneur. Il possède une momie vieille de 3000 ans.

Paul : Mon père possède quelque chose de beaucoup plus vieux : une pomme d'Adam.

•

Qu'est-ce qui est plus invisible que l'Homme invisible ?

Son ombre.

•

Le bébé mouffette : Maman, j'aimerais que tu m'achètes un ensemble de chimie pour que je puisse faire des expériences.

La maman mouffette : Quoi ? Tu veux empester notre maison ?

•

Un accordeur de piano se présente chez une dame. Étonnée, cette dernière lui dit :

— Mais, je ne vous ai pas appelé !

— Je sais, madame, mais vos voisins l'ont fait.

•

Qu'est-ce qui est jaune, lisse et très dangereux ?

— De la moutarde infestée de requins.

•

Que fait-on avec un monstre vert ?

— On attend qu'il mûrisse.

•

Ce joueur de basket était si grand qu'il lui fallait une échelle pour se raser.

•

Quel géant portait les plus grandes chaussures ?

— Celui qui avait les plus grands pieds.

•

Marie : Je ne savais pas que notre école était hantée.

Louise : Moi non plus. Et qui te l'a dit ?

Marie : Tout le monde parlait de l'esprit qui animait notre école.

•

Ta cuisine est superbe. C'est l'endroit idéal pour les mouches qui veulent se suicider.

•

— Mon frère joue du violon depuis vingt ans.

— Il doit être un virtuose ?

— Pas vraiment. Ça lui a pris 19 ans pour découvrir qu'il lui fallait un archet.

•

Une poule s'est échappée et s'est réfugiée dans la salle de rédaction d'un grand quotidien. Elle voulait voir un journaliste pondre un article.

•

L'entraîneur : As-tu fait tes exercices ce matin ?

Le joueur : Oui, en me penchant, j'ai touché à mes chaussures 100 fois.

L'entraîneur : Vraiment ?

Le joueur : Juré, craché ! La centième fois, après m'être redressé, j'ai pris mes chaussures qui étaient sur la chaise et je les ai mises.

•

Pourquoi les joueurs de soccer ont-ils des bonnes notes au collège ?

Parce qu'ils se servent de leur tête.

•

Neuf personnes sur dix qui affirment que la plume est plus dangereuse que l'épée préfèrent être frappées par une plume.

•

Comment le père Noël joue-t-il au poker ?

Avec des cartes de Noël.

•

Un scaphandrier venait tout juste d'atteindre le fond d'un fleuve profond, lorsqu'il reçut un message urgent du pont du bateau :

— Remontez vite, le bateau est en train de couler !

•

Le petit Jean s'exerçait au violon dans le salon pendant que son père tentait de lire son journal dans son bureau. Le chien, couché près de Jean, se mit à hurler en entendant les sons de plus en plus grincheux qui sortaient du prestigieux instrument.

Après avoir écouté durant un bon moment cette cacophonie, le père se leva en lançant son journal par terre. « Écoute, fiston, ne pourrais-tu pas interpréter un concerto que ton chien ne connaît pas ? »

•

— Madame, nous avons surpris votre chien en train de courir après une fille à bicyclette.

— Impossible, monsieur l'agent, mon chien ne sait pas monter à bicyclette.

•

La petite Nicole : Monsieur, combien de poissons avez-vous pris ?

Le pêcheur : Aucun, mais je ne pêche que depuis une heure.

La petite Nicole : Vous êtes un meilleur pêcheur que le monsieur qui était ici hier.

Le pêcheur : Vraiment ? Et comment ça ?

La petite Nicole : Il a pris cinq heures pour réussir votre exploit.

•

L'épouse du chef cannibale à son amie :

— N'oublie pas de venir faire un tour à la maison, vendredi soir. Nous aurons les Tremblay pour souper.

•

— Pour un dollar, je peux imiter un poisson, dit le jeune garçon.

La vieille dame lui demande :

— Et comment ? En nageant ?

— Mieux que ça, réplique le garçonnet, en mangeant un ver de terre.

•

La maman au papa qui aidait son jeune fils à faire ses devoirs de mathématiques :

— Tu fais bien de l'aider pendant que tu le peux. L'an prochain, il sera en troisième année.

•

— Pilote à la tour de contrôle. Pilote à la tour de contrôle. J'attends vos instructions pour atterrir.

— Tour de contrôle à pilote. Tour de contrôle à pilote. Pourquoi criez-vous si fort ?

— Pilote à la tour de contrôle. Pilote à la tour de contrôle. Ma radio de bord est hors d'usage.

•

Comment cinq éléphants peuvent-ils prendre place dans une Honda Civic ?

Deux sur le siège arrière, deux sur le siège avant et un dans le coffre à gants.

•

Le reporter : Est-ce vrai que le taureau devient enragé lorsque vous lui présentez votre cape rouge ?

Le torero : Pas vraiment. En réalité, c'est la vache qui le devient. Quant au taureau, il s'enrage parce qu'il n'aime pas être considéré comme une vache.

•

— Garçon, il y a une mouche dans ma soupe !

— Ce doit être la viande avariée qui l'attire.

•

— Docteur, vous devez m'aider. Je jouais de l'harmonica et soudain, je l'ai avalé.

— Heureusement que tu ne jouais pas du piano.

•

Dans un coin du ring, l'entraîneur encourageait son boxeur :

— Tu n'as rien à craindre de ton adversaire. S'il était le moindrement bon, on ne te l'aurait pas opposé.

•

— Est-ce vrai que tu ne travailles plus pour monsieur Lafortune ?

— En effet, après ce qu'il m'a dit, j'ai quitté mon emploi.

— Et que t'avait-il dit ?

— Tu es congédié !

•

Demandée : Dactylo pour copier des documents secrets. Ne doit pas savoir lire.

•

Quel était le dessert favori de saint Pierre ?

Un gâteau des anges.

CONCOURS

Tu dois connaître, toi aussi, de courtes histoires drôles. Alors, pourquoi ne pas nous en faire parvenir quelques-unes ?

Parmi celles reçues, certaines seront retenues pour publication et l'auteur(e) recevra une surprise.

Participe le plus vite possible et envoie tes histoires drôles à :

CONCOURS HISTOIRES DRÔLES
Les éditions Héritage inc.
300, rue Arran
Saint-Lambert (Québec)
J4R 1K5

Nous avons hâte de te lire !

À très bientôt donc !

Payette & Simms inc.

Achevé d'imprimer en juin 1999 sur les presses de
Payette & Simms inc. à Saint-Lambert (Québec)